PESSOAS

PESSOAS

1. **O que é, o que é? O apresentador de TV que serve chá?**

2. O que é, o que é? Os parentes do Homem Invisível?

3. O que é, o que é? A primeira coisa que os homens fazem de manhã?

4. Se cinco meninas brigam com uma menina, que horas são?

5. O que é, o que é? A cor do cavalo branco de Napoleão?

6. O que é, o que é? O único amigo que nós não conhecemos?

7. O que é, o que é? A esposa do senhor Lírio?

RESPOSTAS: 1. Fábio Por-chá (Fábio Porchat). 2. Transparentes. 3. Acordam. 4. Cinco para uma. 5. Branco. 6. O amigo-oculto. 7. A senhora Rosa.

8. O que é, o que é? O que o Faustão disse quando estava na floresta acompanhando a Chapeuzinho Vermelho?

9. O que acontece se alguém engolir o garfo e a faca?

10. **O que é, o que é? A pessoa que mais vai a um programa de entrevistas?**

11. Qual o nome da professora de Inglês que escala paredes?

12. O que o pagodeiro foi fazer na igreja?

13. O que faz o assassino quando se aposenta?

RESPOSTAS: 8. "Ô Lobo, meu!". 9. Vai ter de comer com as mãos. 10. O entrevistador. 11. A lagar-teacher (lagartixa). 12. Cantar pa-God. 13. Mata o tempo.

PESSOAS

14. O Pateta usa o teclado; e o Mickey usa o quê?

15. **Quem é o avô do carro?**

16. Quem é a filha da Diva?

17. Quem é o dono do cemitério?

18. O que é, o que é? O pão mais famoso de hollywood?

19. Quem é o pai do carro?

20. O que é, o que é? O comediante de quem computadores mais gostam?

RESPOSTAS: 14. Mouse. 15. O vô-lante. 16. Adivinha! 17. Seu Pultura 18. Bread Pitt (Brad Pitt). 19. O pai-nel. 20. Windows Nunes (Whindersson Nunes).

21. O que é, o que é? O atleta que gosta de escrever em negrito?

22. Qual música o turista perdido gosta de cantar?

23. O que é, o que é? o que fazer quando se sentir triste?

24. **O que é, o que é? O estado americano que é só um pedaço?**

25. O que o Michael Phelps faz pra ganhar tantas medalhas?

26. O que é, o que é? A cantora que não gosta de café?

27. O que é, o que é? O mineiro procura quando vai à cafeteria?

RESPOSTAS: 21. Usain Bold (Usain Bolt). 22. *Que país é esse?* 23. Abraçar um calçado, porque ele "com sola" (consola). 24. A-lasca. 25. Nada. 26. A Chá-quira (Shakira). 27. Uai-fai.

28. O que é, o que é? A pessoa corta na cozinha e chora?

29. O que uma pessoa exclamou quando percebeu que comprou óculos sem lentes?

30. O que é, o que é? O nome de cantora que foi dito quando Ana estava triste?

31. Até onde ia a força de Sansão?

32. Por que é que a caminhonete da igreja bateu no poste?

33. **Quando é que você percebe que seu computador está antigo?**

RESPOSTAS: 28. O dedo. 29. É "É armação!". 30. Ri, Ana (Rihanna). 31. Dali-lá. 32. Porque ela estava sem frei (freio). 33. Quando a placa-mãe já virou avó.

34. O que é, o que é? O nome da mulher que estava muito nervosa, pegou o carro e saiu em alta velocidade, entrou numa rua deserta e bateu o carro num poste?

35. Por que uma mulher casada já não usa mais relógio?

36. Por que o homem não conseguia dormir num quarto de um hotel?

37. O que é que uma pessoa deve saber para ensinar um cachorro?

38. **Quando o aluno cola e todo mundo ainda lhe dá os parabéns?**

RESPOSTAS: 34. Guiomar. 35. Porque ela é uma sem hora (senhora). 36. Porque as cores das paredes eram berrantes. 37. Precisa saber mais do que o cachorro. 38. Quando ele cola grau.

PESSOAS

39. Por que o Batman perde uma partida de pôquer?

40. **Um homem sonhou que estava em uma ponte. De um lado da ponte apareceu uma pantera e do outro lado, um leão. O homem tentou pular no rio, mas o rio estava cheio de jacarés. O que ele fez?**

41. Se uma pessoa engole um relógio, como é que ela fica?

42. O que é, o que é? O que o zero disse para o oito?

43. O que é, o que é? O nome de mulher de sete letras e que só tem três letras?

44. O que é, o que é? O cantor que derruba o Thanos?

RESPOSTAS: 39. Por causa do Coringa. 40. Acordou. 41. Cheia de tiques. 42. "Que cinto bonito". 43. Bárbara. 44. Cai-Thanos Veloso (Caetano Veloso).

PESSOAS

45. O pai vai ao cartório registrar o nome do seu filho de Pelé. O escrivão pergunta ao pai por que mudara de ideia e trocara Edson por Pelé? O que foi que o pai respondeu?

46. O que é, o que é? Se vaivém, fosse e voltasse, vaivém, ia e vinha. Como vaivém, vai e não volta, vaivém não vai mais?

47. **Por que as pessoas que fazem previsão de tempo são tão distraídas?**

48. Por que o marinheiro boboca foi impedido de trabalhar num submarino?

49. O que aconteceu quando o engenheiro olhou no espelho?

50. Por que dois oculistas não paravam de discutir?

51. Por que o cobre dirige melhor que o ferro?

RESPOSTAS: 45. "Edson era antes do nascimento" (= Edson Arantes do Nascimento, o nome real de Pelé). 46. Um homem que não quer emprestar o serrote. 47. Porque vivem com a cabeça nas nuvens. 48. Porque ele gostava de dormir de janelas abertas. 49. O engenheiro civil (se viu). 50. Porque ambos queriam defender o seu ponto de vista. 51. Porque ele é um melhor condutor.

PESSOAS

52. O que é, o que é? A mãe mais brava do mundo?

53. Quando um agricultor fica de cabeça para baixo?

54. **O que é, o que é? A tecla preferida do astronauta?**

55. Por que o vovô levou uma multa no seu aniversário?

56. Quem é o dono da horta?

57. O que é preciso para que se possa apagar uma vela?

58. Onde o Super-Homem faz suas compras?

59. O que o youtuber foi fazer no dentista?

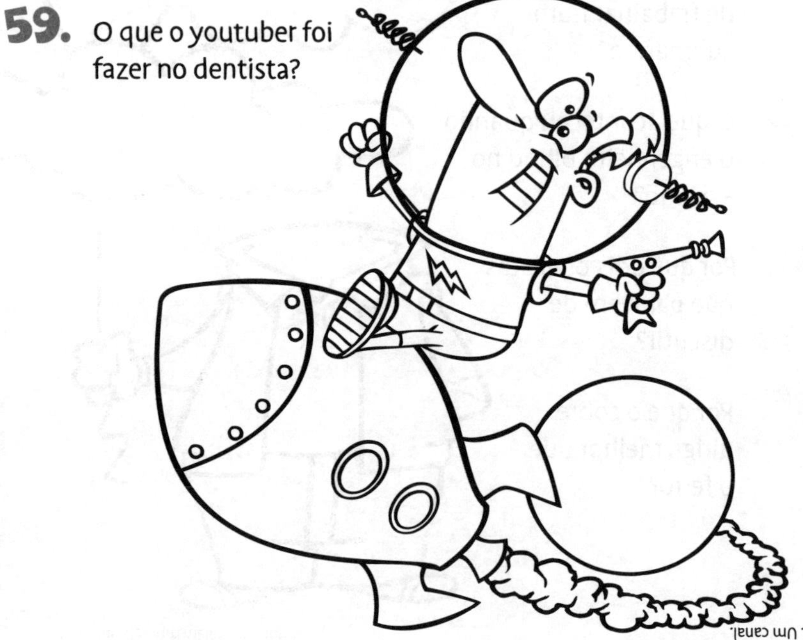

RESPOSTAS: 52. A eletricidade. Mexe nos "fios" dela para você ver. 53. Quando planta bananeira. 54. o espaço. 55. Porque ele passou dos 80. 56. O Seu Nôra (cenoura). 57. Que ela esteja acesa. 58. No Supermercado. 59. Um canal.

PESSOAS

60. Qual é o X-Men que quer crescer?

61. O que é, o que é? O plural de Humberto?

62. Por que a família do músico sente saudade dele?

63. Quem é o avô do Toddynho?

64. **O que é, o que é? O esporte favorito dos cientistas?**

65. O que é, o que é? O detetive que tem um irmão gêmeo idêntico?

66. O que é, o que é? A fruta que ameniza o calor de Ana?

RESPOSTAS: 60.Mística (Me estica). 61. Doisberto, Tresberto... 62. Porque ele faz "flauta". 63. O vô Maltine (Ovo Maltine). 64. Fórmula 1. 65. Xerox Holmes (Sherlock Holmes). 66. A-bana-Ana (banana).

PESSOAS

67. O que é, o que é? O cereal preferido do vampiro?

68. O que é, o que é? Da esquerda para a direita, é um homem; da direita para a esquerda, só se encontra à noite?

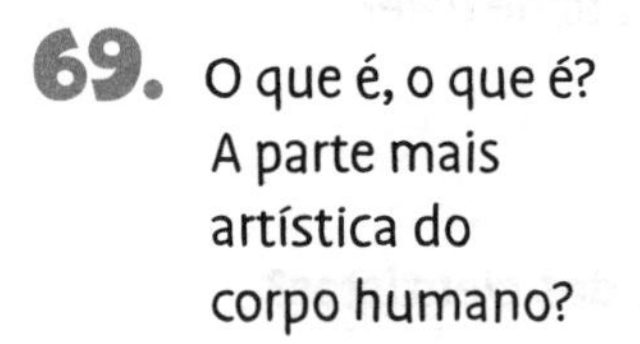

69. O que é, o que é? A parte mais artística do corpo humano?

70. O que é, o que é? O cantor que não é meu nem nosso?

71. **O que é, o que é? O que o coelho disse quando se assustou?**

72. Por que a múmia chegou atrasada na festa?

73. O que é, o que é? O contrário de bailarino?

RESPOSTAS: 67. A-veia. 68. Raul, que, lido ao contrário, é „luar". 69. O pulmão, porque é cheio de inspiração. 70. O Seu Jorge. 71. „Ah, minha nossa cenoura!". 72. Porque ela é muito enrolada. 73. bailar-voltano (bailar voltando).

74. O que é, o que é? O pai das aves?

75. **Como os esquimós se vestem?**

76. Por que o menino jogou o relógio pela janela?

77. O que é, o que é? Um tênis no canto do ringue?

78. O que é, o que é? O militar que faz espetáculo gratuito?

79. O que é, o que é? O que o preguiçoso faz para engordar?

80. O que acontece quando um ciclista entra no campo de futebol?

RESPOSTAS: 74. O pai-vão. 75. Muito rápido, para não congelar. 76. Para ver se o tempo voava. 77. É o Nike-Tyson (Mike Tyson). 78. O show-dado (soldado). 79. Não faz nada. 80. Um gol de bicicleta.

PESSOAS

81. **O que é, o que é? O tio da horta?**

82. O que é, o que é? O primo da horta?

83. O que é, o que é? O nome da mãe do pão?

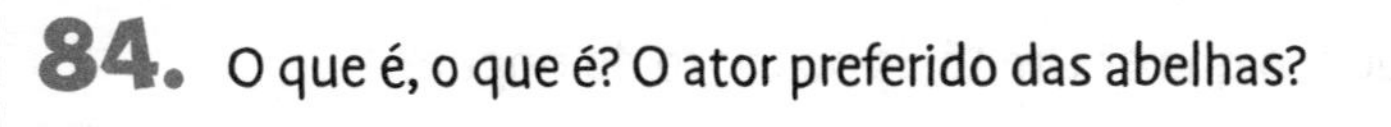

84. O que é, o que é? O ator preferido das abelhas?

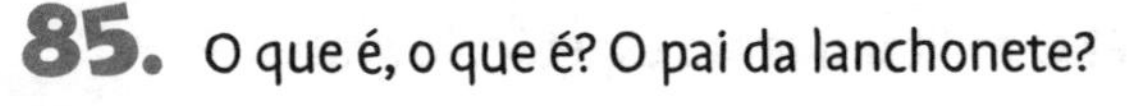

85. O que é, o que é? O pai da lanchonete?

86. O que é, o que é? A mãe da horta?

RESPOSTAS: 81. Tio-mate (Tomate). 82. O pri-mentão (pimentão). 83. A mãe-teiga (manteiga). 84. Mel Gibson. 85. Pai-stel (pastel). 86. A mãe-dioca (mandioca).

PESSOAS

87. O que acontece ao distraído quando escorrega feio?

88. Por que o homem botou as calças de trás para frente?

89. O que Michael Phelps disse para Sócrates?

90. **Por que é que a mãe carrega o bebê?**

91. O que é, o que é? A avó da horta?

92. O que é, o que é? O rei da horta?

93. Por que o vidente quis ir pra Alemanha?

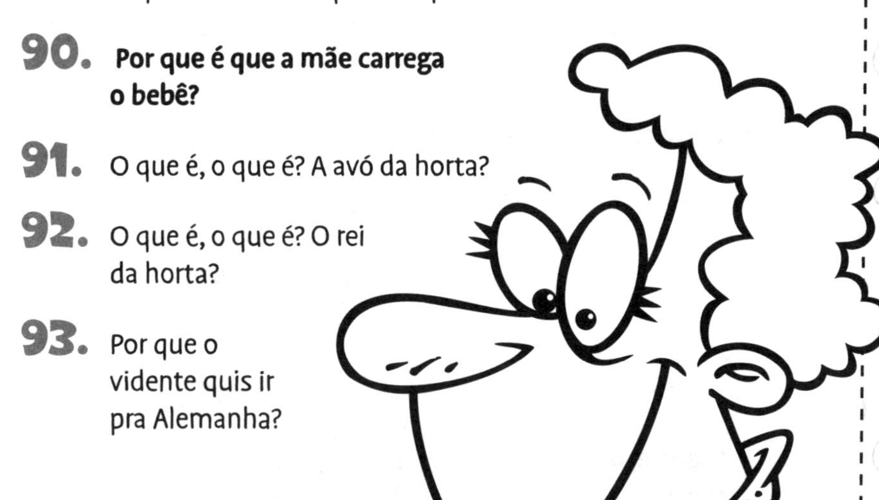

RESPOSTAS: 87. Cai na realidade. 88. É que ele não sabia se queria ir ou vir. 89. "Só sei que nadar sei". 90. É que o bebê não pode carregar a mãe. 91. A avó-bora (abóbora). 92. O rei-polho (repolho). 93. Porque ele aprendeu a-lê-mão.

PESSOAS

94. Por que os robôs não sentem medo de nada?

95. Por que a menina estava rindo enquanto assistia a uma propaganda de remédio?

96. O que é, o que é? O lugar onde uma pessoa doente não deve ficar?

97. O que o sapateiro disse para o sapato velho?

98. Por que o menino colocou água num pote?

99. O que é, o que é? O nome do médico que está sempre desligado?

100. **O que é, o que é? O escritor que trabalha com o lenhador?**

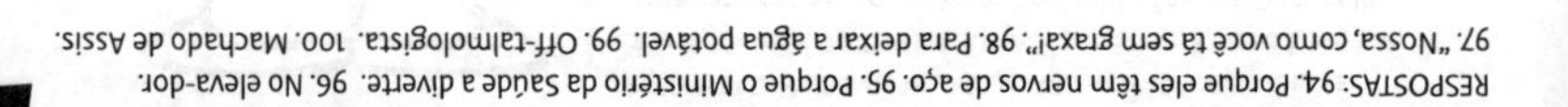